Hans-Günter Heumann

Piano piccolo

111 kleine klassische Original-Klavierstücke
111 Little Original Classical Piano Pieces
111 Petites pièces classiques originales pour piano

sehr leicht / very easy / très faciles

ED 22601
-001-16158-9
-7957-1073-6

www.schott-music.com

Mainz · London · Berlin · Madrid · New York · Paris · Prague · Tokyo · Toronto

Über dieses Heft

Piano piccolo ist als Vorstufe für den erfolgreichen Band *Für Elise* in der Serie *Pianissimo* konzipiert worden. Die Zusammenstellung von 111 sehr leichten klassischen Original-Klavierstücken enthält beliebte Repertoirestücke, aber auch viele Raritäten, die kaum bekannt sind. So ist dieser Band eine echte Bereicherung und „Fundgrube" für den fantasievollen und abwechslungsreichen Anfangsunterricht, mit Werken von über 60 Komponisten aus Barock, Klassik, Romantik und Moderne.

Die barocken Stücke wurden originalgetreu ohne Artikulationen und Dynamik abgedruckt, auch die übrigen Klavierstücke bieten den Urtext. Es wurden lediglich Tempoangaben und Fingersätze ergänzt, sie sollen dem Spieler als Hilfestellung für die Interpretation dieser wundervollen Miniaturen dienen.

Piano piccolo ist bestens dazu geeignet, um Schüler im Anfangsunterricht, Wiedereinsteiger und Liebhaber an die klassische Musik heranzuführen und ideal für das erste Vorspiel in der Musikschule oder im Rahmen einer privaten Aufführung.

About this collection

Piano Piccolo has been designed as a beginner's introduction to the successful collection *Für Elise* in the *Pianissimo* series. This collection of 111 very easy original classical piano pieces includes popular repertoire pieces as well as many rarer finds that are not widely known. Works by over sixty composers from the Baroque, Classical, Romantic and Modern eras here offer a rich treasure trove for imaginative and varied tuition for beginners.

As in the original scores, Baroque pieces are presented without any markings for articulation and dynamics; the rest of these piano pieces also appear in Urtext scores. Some tempo indications and fingerings have been added, however, as a guide to performing these wonderful little pieces.

Piano Piccolo offers excellent opportunities for introducing beginners, returning students and amateur musicians to classical music with pieces suitable for auditions at music schools and playing to family and friends.

À propos de ce recueil

Piano piccolo est le dernier né de la collection *Pianissimo* et a été conçu comme introduction au volume intitulé *Für Elise* qui a connu un grand succès. Il rassemble 111 morceaux très faciles de musique classique originale pour piano dont certains sont des favoris du répertoire, tandis que de nombreux autres font davantage figure de raretés. Ainsi ce recueil constitue-t-il un véritable enrichissement, une mine dans laquelle puiser des matériaux variés et pleins de fantaisie pour les débutants, avec des œuvres de plus de 60 compositeurs différents des périodes baroque, classique, romantique et moderne.

Les pièces baroques sont restituées sans articulations ni indications dynamiques, conformément aux originaux, et les autres morceaux sont traités dans le même esprit de fidélité. Seules les indications de tempo et les doigtés ont été ajoutés afin d'aider les apprentis pianistes à interpréter au mieux ces merveilleuses miniatures.

Piano piccolo est un recueil parfaitement adapté à une première approche de la musique classique dans le cadre de cours pour débutants, faux débutants ou amateurs et propose un répertoire idéal à présenter en audition ou pour une prestation dans un cadre privé.

Hans-Günter Heumann

Inhalt / Contents / Contenu

Alter deutscher Tanz
Old German Dance / Vieille Danse allemande
C-Dur / C major / Do majeur

Michael Praetorius
(1571–1621)

Menuett a-Moll
Minuet A minor / Menuet La mineur

Johann Krieger
(1651–1735)

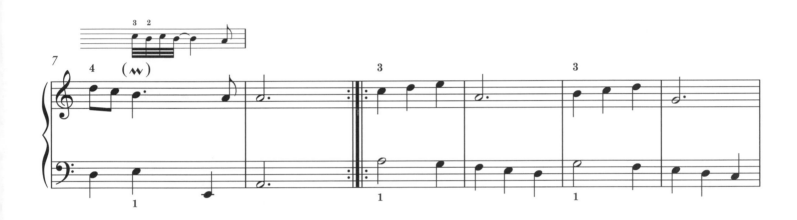

aus / from / de: Sechs musikalische Partiten / Six musically Partitas / Six partitas musicalemente

Bourrée
a-Moll / A minor / La mineur

Johann Krieger
(1651–1735)

aus / from / de: Sechs musikalische Partiten / Six musically Partitas / Six partitas musicalemente

Air
d-Moll / D minor / Ré mineur

Henry Purcell
(1659–1695)

Menuett G-Dur
Minuet G major / Menuet Sol majeur

Georg Böhm
(1661–1733)

aus / from / de: Notenbüchlein für Anna Magdalena Bach / Notebook for Anna Magdalena Bach /
Petit livre d'Anna Magdalena Bach, Schott ED 2698

Bourrée
e-Moll / E minor / Mi mineur
GWV 827

Christoph Graupner
(1683-1760)

Aria
d-Moll / D minor / Ré mineur
BWV 515

Johann Sebastian Bach
(1685–1750)

aus / from / de: Notenbüchlein für Anna Magdalena Bach / Notebook for Anna Magdalena Bach /
Petit livre d'Anna Magdalena Bach, Schott ED 2698

Menuett G-Dur
Minuet G major / Menuet Sol majeur

Georg Friedrich Händel
(1685–1759)

aus / from / de: Partita G-Dur / Partita G major / Partita Sol majeur HWV 450

Passepied
C-Dur / C major / Do majeur
HWV 559

Georg Friedrich Händel
(1685–1759)

♩ = 132

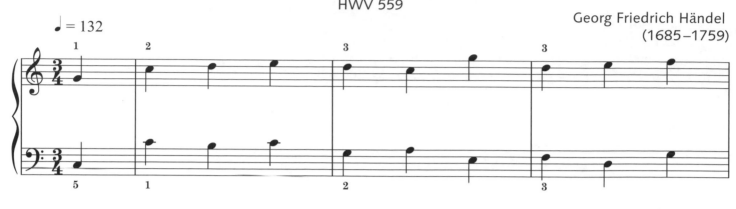

Menuett Nr. 2 F-Dur
Minuet No. 2 F major / Menuet No. 2 Fa majeur

Anonymus

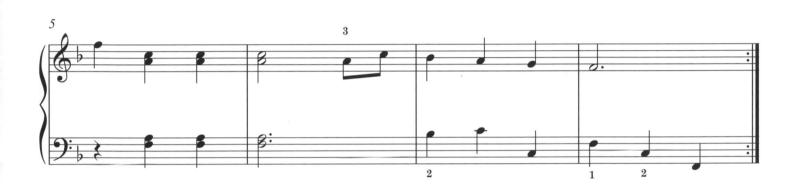

aus / from / de: Notenbuch für Nannerl (Nannerl-Notenbuch) / Nannerl Music Book /
Livre de musique de Nannerl, Schott ED 3772

Menuett Nr. 6 F-Dur
Minuet No. 6 F major / Menuet No. 6 Fa majeur

Anonymus

aus / from / de: Notenbuch für Nannerl (Nannerl-Notenbuch) / Nannerl Music Book /
Livre de musique de Nannerl, Schott ED 3772

Menuett d-Moll
Minuet D minor / Menuet Ré mineur

Leopold Mozart
(1719–1787)

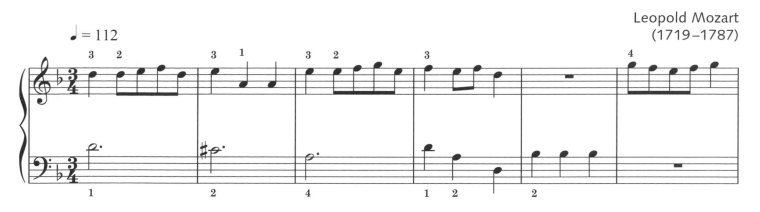

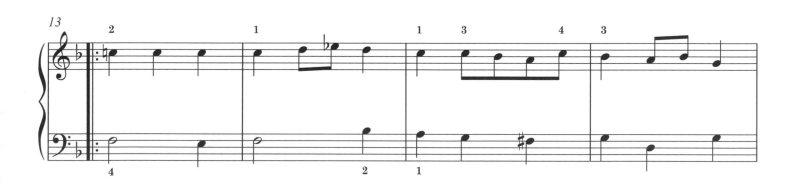

Fine

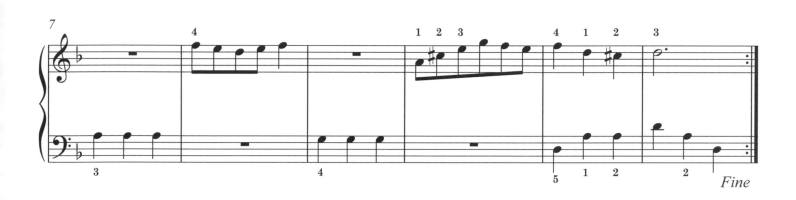

D.C. al Fine

Deutscher Tanz D-Dur
German Dance D major / Danse allemande Ré Majeur
Hob. IX:22/2

Joseph Haydn
(1732–1809)

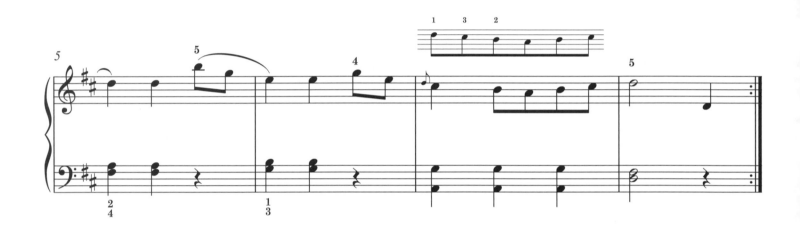

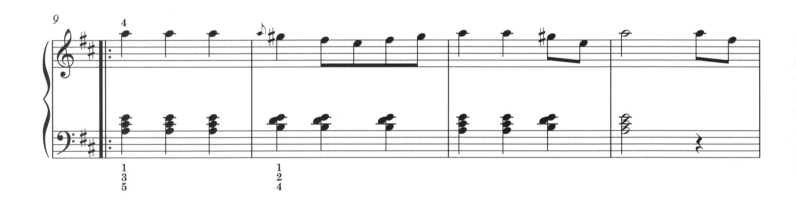

Deutscher Tanz G-Dur
German Dance G major / Danse allemande Sol majeur
Hob. IX:22/3

Joseph Haydn
(1732–1809)

♩ = 136

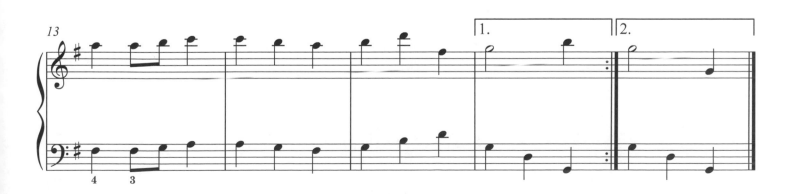

Minuet
C-Dur / C major / Do majeur

William Duncombe
(1736/38–1818/19)

Fine

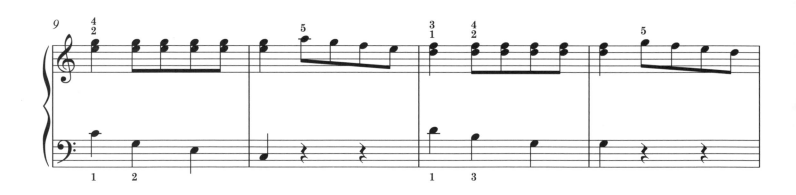

D.C. al Fine

aus / from / de: First Book of Progressive Lessons for Harpsichord and Piano Forte, 1778

Gavot
C-Dur / C major / Do majeur

William Duncombe
(1736/38–1818/19)

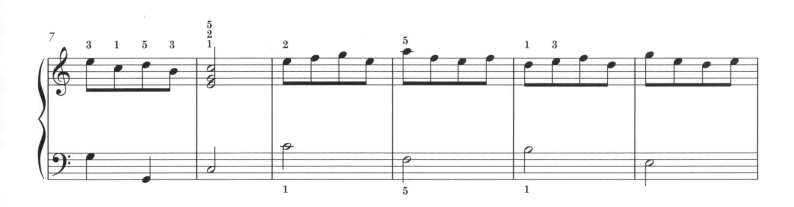

aus / from / de: First Book of Progressive Lessons for Harpsichord and Piano Forte, 1778

Gavot

C-Dur / C major / Do majeur

Samuel Arnold
(1740–1802)

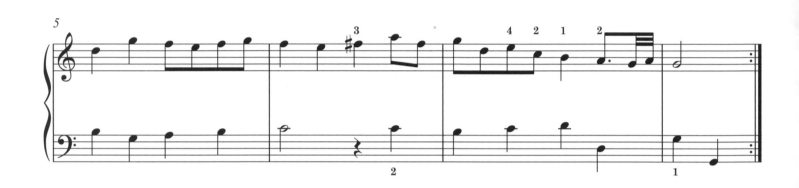

aus / from / de: A Set of Progressive Lessons for the Harpsichord or the Piano Forte op. 12, Lesson II

Giga

C-Dur / C major / Do majeur

Samuel Arnold
(1740–1802)

aus / from / de: A Set of Progressive Lessons for the Harpsichord or the Piano Forte op. 12, Lesson II

Minuet
C-Dur / C major / Do majeur

James Hook
(1746–1827)

aus / from / de: Guida di Musica, 24 Progressive Lessons op. 37, Lesson II

Gavotta
D-Dur / D major / Ré majeur

James Hook
(1746–1827)

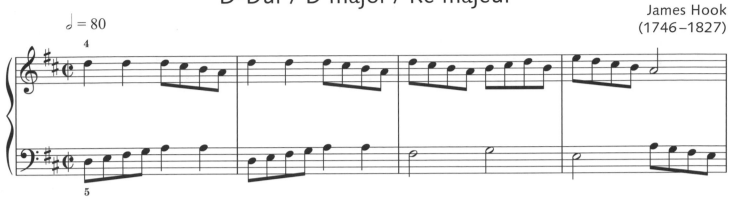

aus / from / de: New Guida di Musica, 24 Progressive Lessons op. 81, Lesson III

Poco Allegro

op. 38/3

Johann Wilhelm Hässler
(1747–1822)

Tempo di Menuetto

op. 38/4

Johann Wilhelm Hässler
(1747–1822)

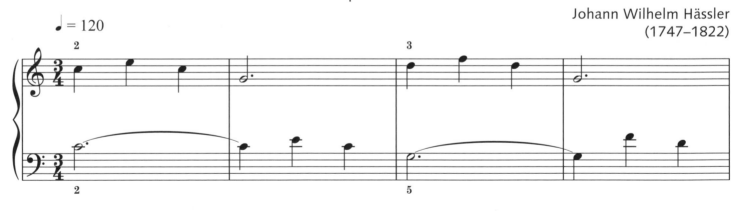

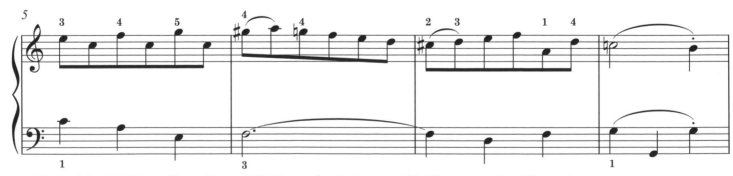

aus / from / de: 50 Stücke für Anfänger / 50 Pieces for Beginners / 50 Pièces pour les débutants

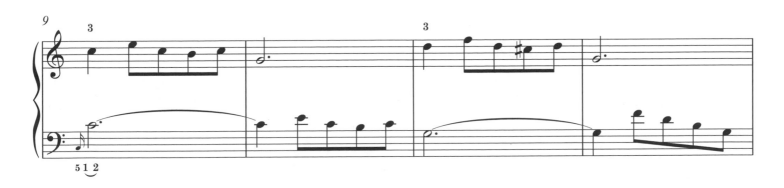

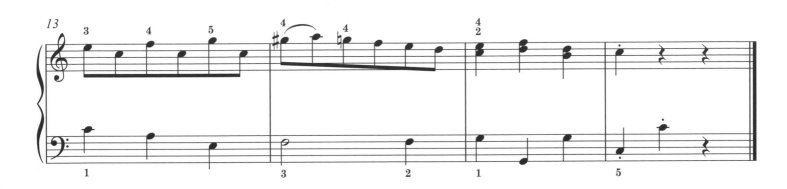

Moderato
op. 38/12

Johann Wilhelm Hässler
(1747–1822)

Hans ohne Sorgen
Carefree Jack / Jean sans soucis

Daniel Gottlob Türk
(1750–1813)

Allegro moderato ♩ = 144

aus / from / de: 60 Anfängerstücke für Klavier / 60 Beginner Pieces for Piano / 60 Pièces débutants pour Piano

Wiegenlied
Lullaby / Berceuse

Daniel Gottlob Türk
(1750–1813)

Andantino ♩ = 104

aus / from / de: 60 Anfängerstücke für Klavier / 60 Beginner Pieces for Piano / 60 Pièces débutants pour Piano

Ich bin so matt und krank
I feel so sick and faint / Je suis las et malade

Daniel Gottlob Türk
(1750–1813)

aus / from / de: 60 Anfängerstücke für Klavier / 60 Beginner Pieces for Piano / 60 Pièces débutants pour Piano

Arioso

Daniel Gottlob Türk
(1750–1813)

aus / from / de: Türks Klavierschule / Türk's Piano Method / Méthode de Piano de Türk, Handstück No. 1

Tanz C-Dur
Dance C major / Dance Do majeur

Johann Georg Witthauer
(1750–1802)

Allegretto
F-Dur / F major / Fa majeur

Johann Georg Witthauer
(1750–1802)

Gavotte
a-Moll / A minor / La mineur

Johann Georg Witthauer
(1750–1802)

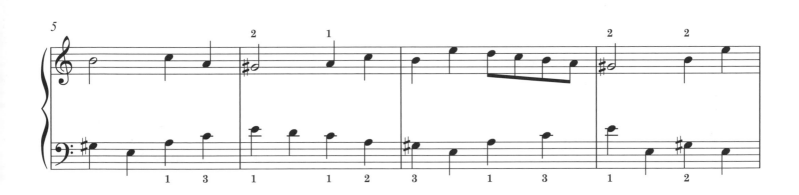

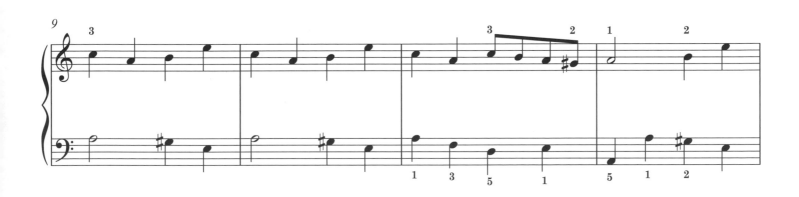

Arietta
C-Dur / C major / Do majeur
op. 42/5

Muzio Clementi
(1752–1832)

Allegretto ♩ = 100

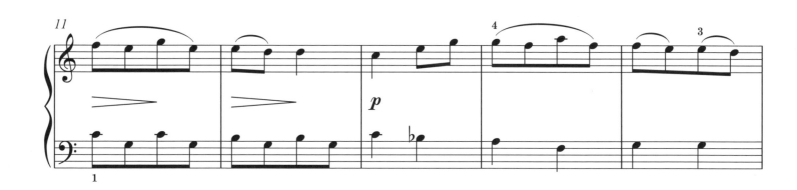

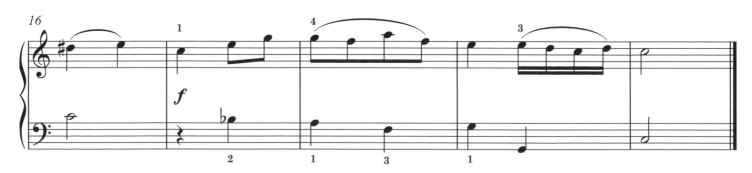

aus / from / de: Einleitung in die Künste das Piano-Forte zu spielen /
Introduction to the Art of Playing on the Piano Forte op. 42

Allegro
op. 1/4

Alexander Reinagle
(1756–1809)

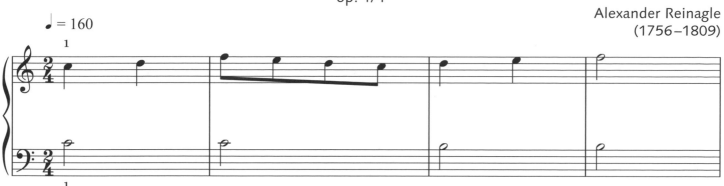

Fine

D.C. al Fine

Allegretto

op. 1/5

Alexander Reinagle
(1756–1809)

Allegretto

op. 1/9

Alexander Reinagle
(1756–1809)

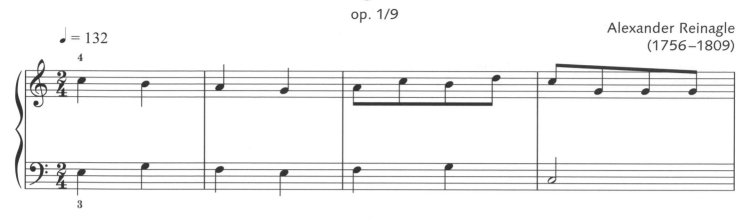

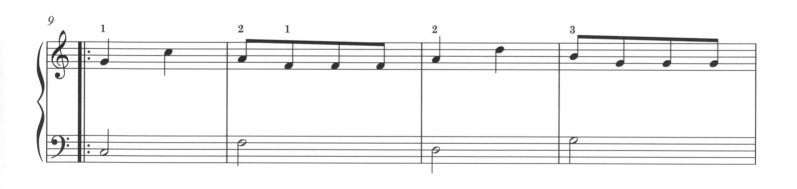

Allegretto

op. 1/11

Alexander Reinagle
(1756–1809)

Allegro
KV 1b

Wolfgang Amadeus Mozart
(1756–1791)

Allegro
KV 1c

Wolfgang Amadeus Mozart
(1756–1791)

Minuetto
op. 5/1

Nicolas-Joseph Hüllmandel
(1756–1823)

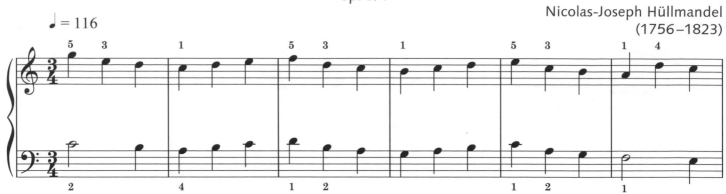

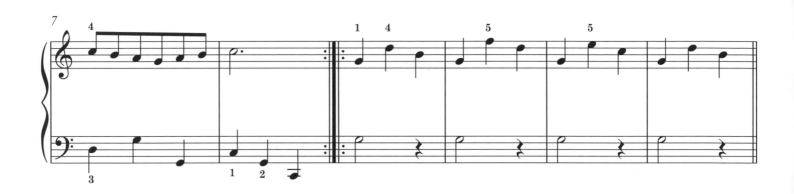

aus / from / de: Petits airs d'une difficulté graduelle op. 5

Allegro

op. 5/5

Nicolas-Joseph Hüllmandel
(1756–1823)

aus / from / de: Petits airs d'une difficulté graduelle op. 5

Kleine Sonate C-Dur
Little Sonata C major / Petite Sonata Do majeur

Charles Henry Wilton
(1761-1832)

Minuetto ♩ = 120

Zwei kleine Inventionen
Two Little Inventions / Deux petites Inventions

Jakub Jan Ryba
(1765–1815)

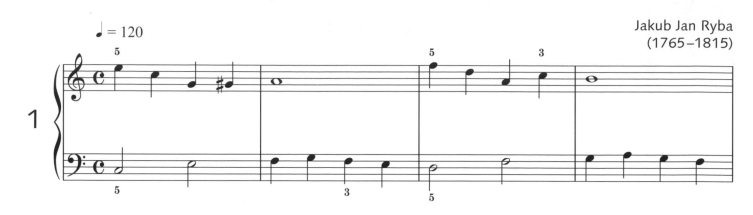

1

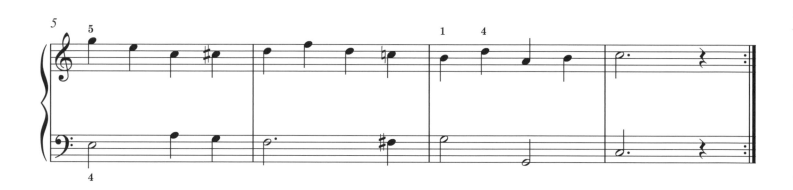

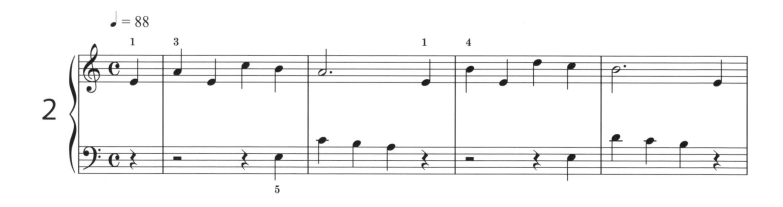

2

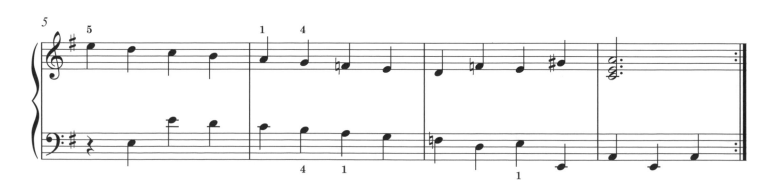

Adagio
a-Moll / A minor / La mineur

Daniel Gottlieb Steibelt
(1765–1823)

Andantino
Handstück No. 5

August Eberhard Müller
(1767–1817)

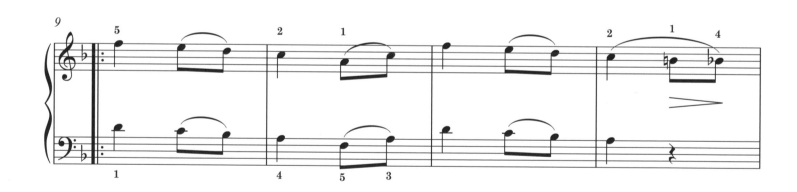

aus / from / de: Instruktive Übungsstücke für das Pianoforte / Instruktive Pieces for the Pianoforte / Pièces instructives pour le Pianoforte

Andante
Handstück No. 9

August Eberhard Müller
(1767–1817)

♩ = 100

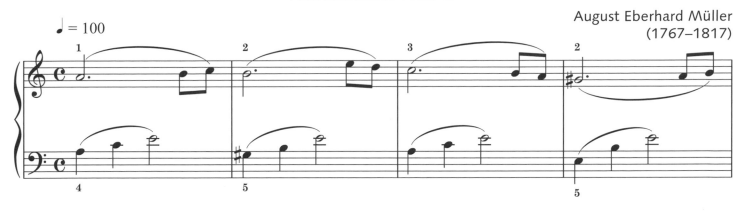

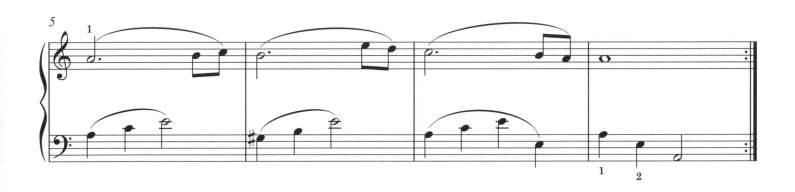

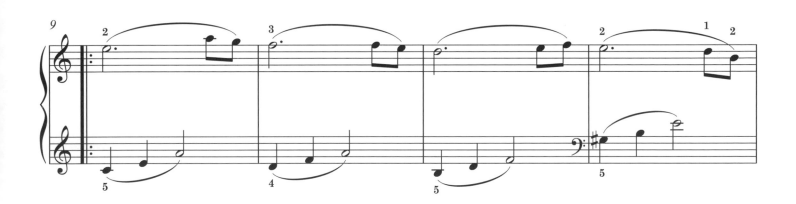

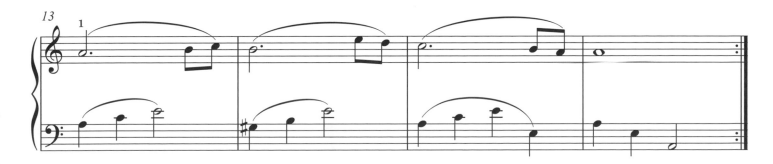

aus / from / de: Instruktive Übungsstücke für das Pianoforte / Instruktive Pieces for the Pianoforte / Pièces instructives pour le Pianoforte

Deutscher Tanz
German Dance / Danse allemande
WoO 8/1

Ludwig van Beethoven
(1770–1827)

♩ = 132

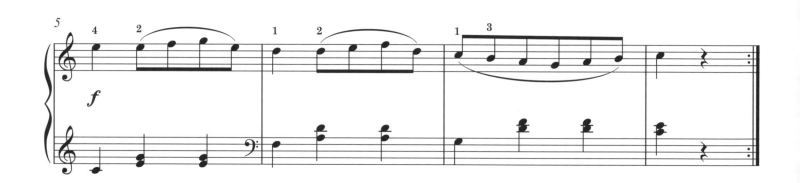

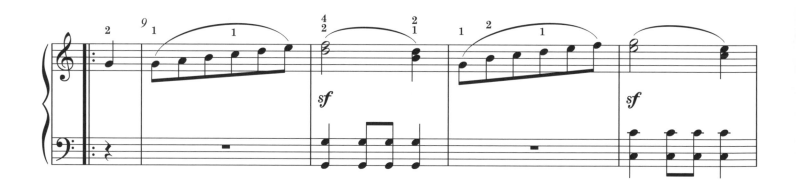

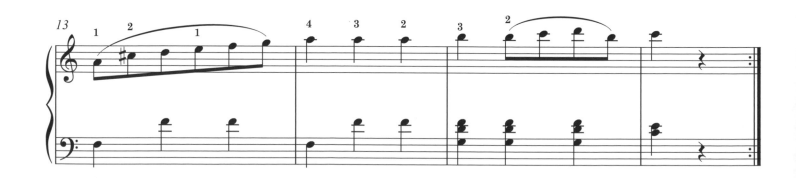

Russisches Volkslied
Russian Folk Song / Chanson russe
op. 107/3

Ludwig van Beethoven
(1770–1827)

Vivace ♩ = 116

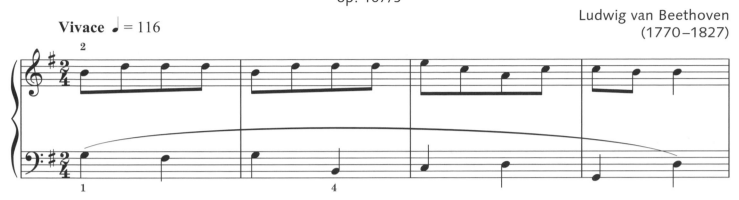

Allegretto

op. 125/3

Anton Diabelli
(1781–1858)

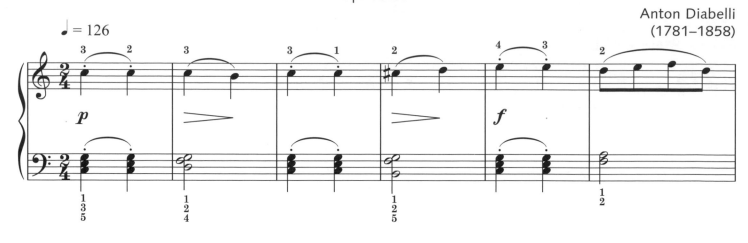

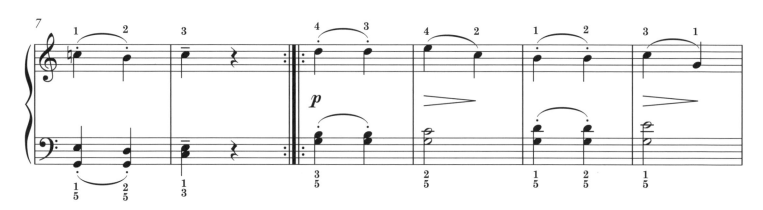

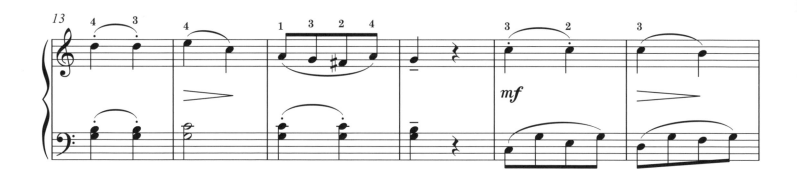

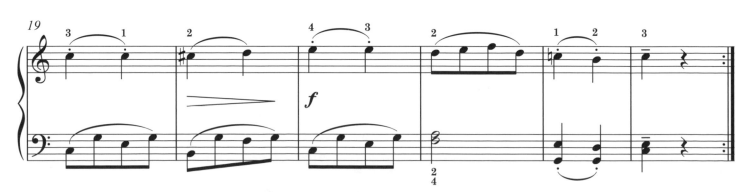

aus / from / de: Die ersten Lektionen am Pianoforte / The First Lessons on the Pianoforte /
Les premières leçons sur le pianoforte

Vivace
op. 125/7

Anton Diabelli
(1781–1858)

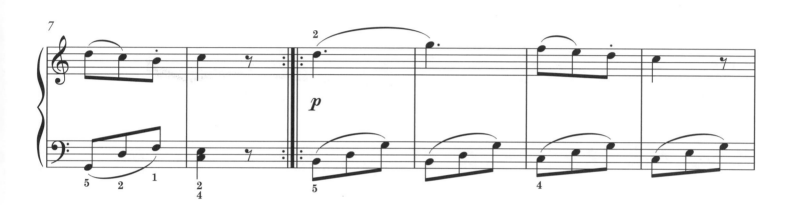

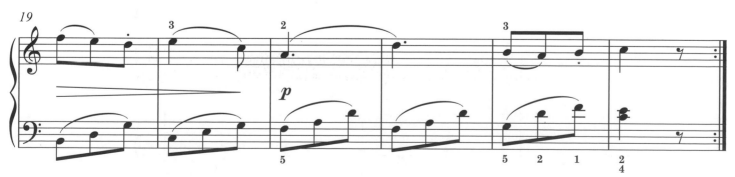

aus / from / de: Die ersten Lektionen am Pianoforte / The First Lessons on the Pianoforte /
Les premières leçons sur le pianoforte

Allemande

op. 4/2

Carl Maria von Weber
(1786–1826)

Mazurka

Maria Szymanowska
(1789–1831)

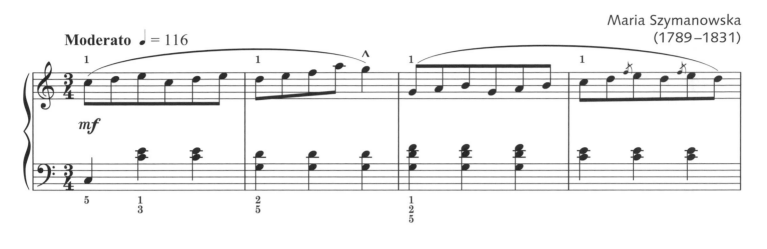

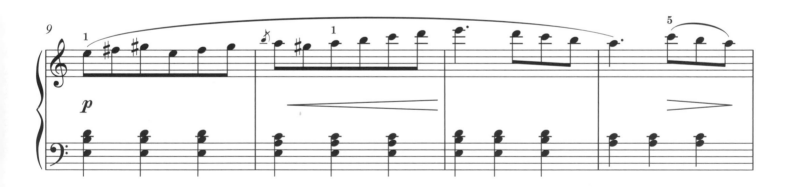

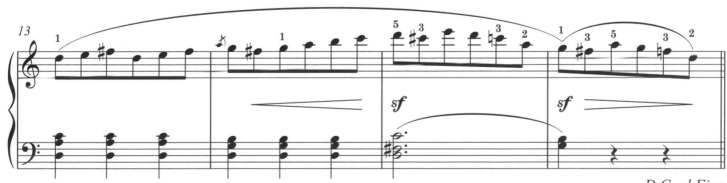

D.C. al Fine

Allegro
op. 777/3

Carl Czerny
(1791–1857)

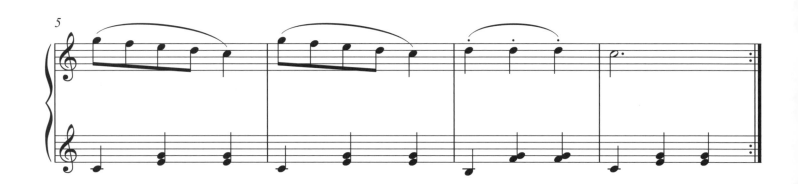

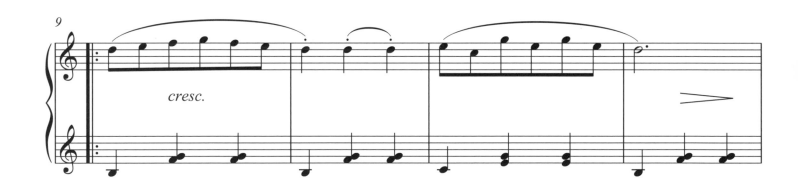

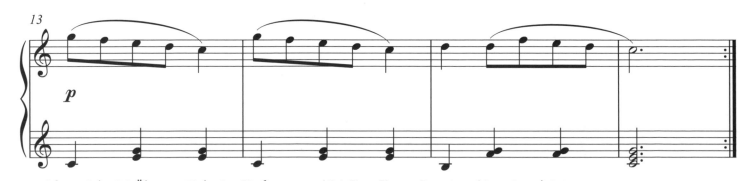

aus / from / de: 24 Übungsstücke im Fünftonraum / 24 Five-Finger Exercises / Les cinq doigts

Allegretto

op. 823/7

Carl Czerny
(1791–1857)

aus / from / de: Der kleine Klavierschüler / The Little Pianist / Le petit pianiste

Andante
op. 487/38

Christian Traugott Brunner
(1792–1874)

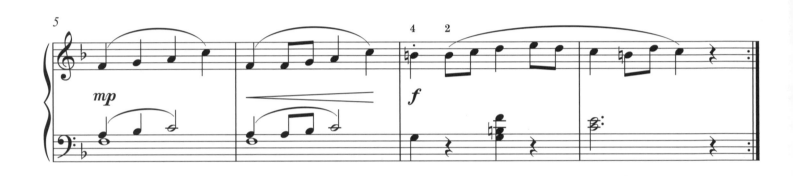

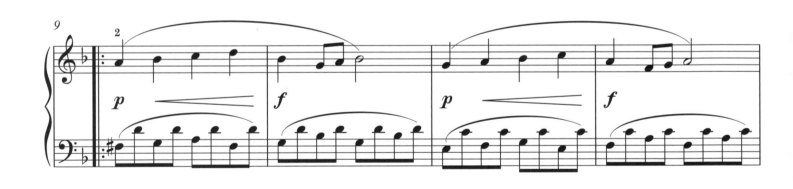

Andantino
op. 487/41

Christian Traugott Brunner
(1792–1874)

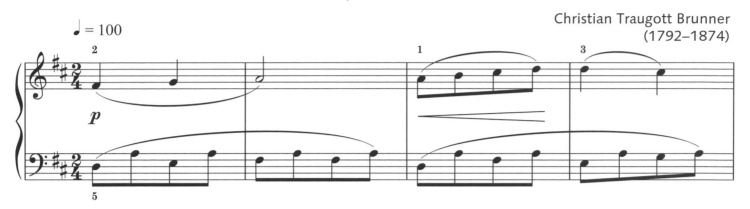

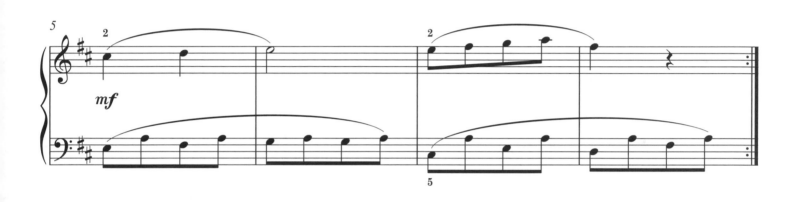

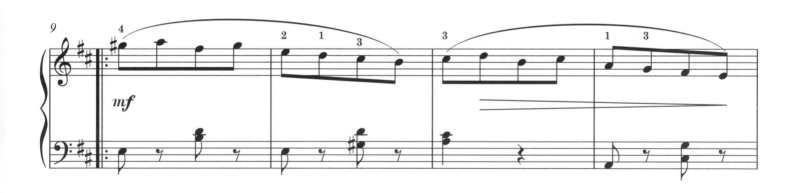

Moderato
a-Moll / A minor / La mineur

Heinrich Wohlfahrt
(1797–1883)

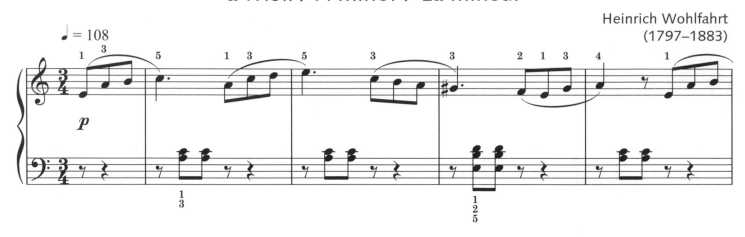

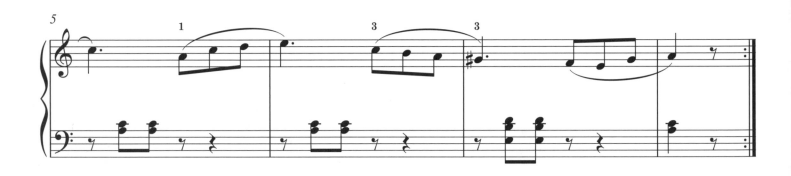

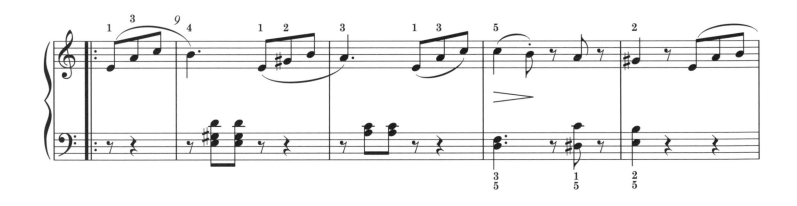

aus / from / de: Wohlfahrt, Kinder-Klavierschule / Wohlfahrt, Children's Piano Method / Wohlfahrt,
La Méthode de Piano pour enfants

Ländler
B-Dur / Bb major / Sib majeur
D 378/2

Franz Schubert
(1797–1828)

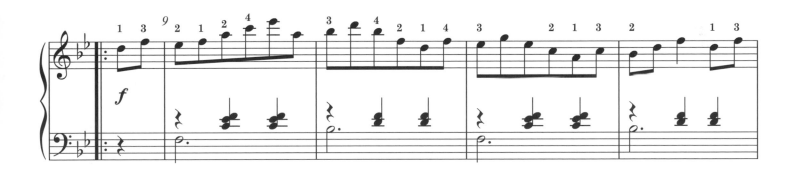

Stückchen
Little Piece / Petite Pièce
op. 68/5

Robert Schumann
(1810–1856)

Nicht schnell ♩ = 108

aus / from / de: Album für die Jugend / Album for the Young / Album pour la jeunesse

Melodie Nr. 14
Melody No. 14 / Mélodie No. 14

Félix Le Couppey
(1811–1887)

Moderato ♩ = 108

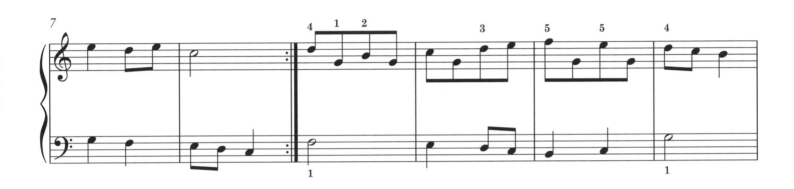

aus / from / de: L'ABC du Piano

Air arabe
Arabian Air

Félix Le Couppey
(1811–1887)

Moderato ♩ = 104

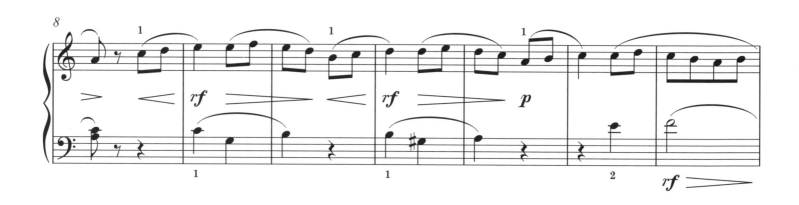

aus / from / de: L'ABC du Piano

Lied ohne Worte
Song without Words / Chant sans paroles
a-Moll / A minor / La mineur

Fritz Spindler
(1816–1905)

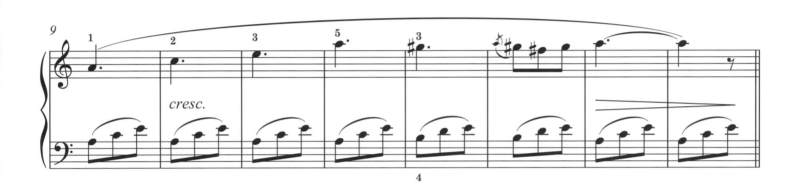

Klavierstück
Piano Piece / Piano Pièce
op. 190/27

Louis Köhler
(1820–1886)

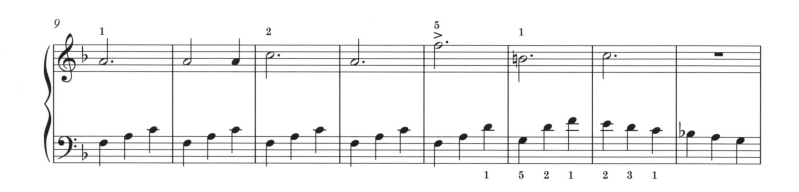

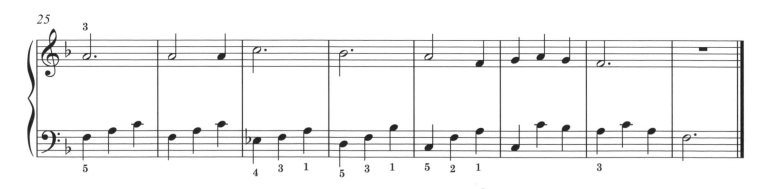

Klavierstück
Piano Piece / Piano Pièce
op. 190/30

Louis Köhler
(1820–1886)

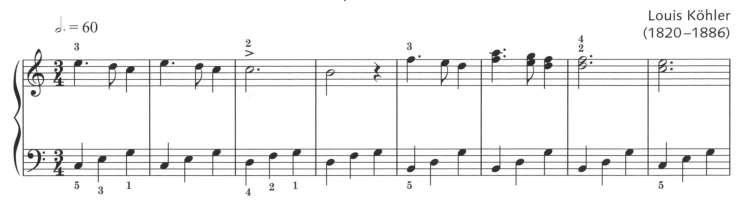

D.C. al Fine

Klavierstück
Piano Piece / Piano Pièce
op. 190/31

Louis Köhler
(1820–1886)

Zur Schule
Going to School / Aller à l'école
op. 117/14

Cornelius Gurlitt
(1820–1901)

Moderato ♩ = 108

Trost
Consolation
op. 179/12

Cornelius Gurlitt
(1820–1901)

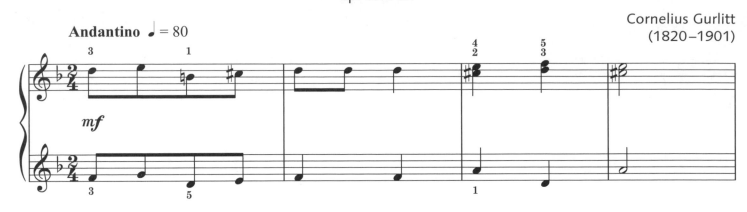

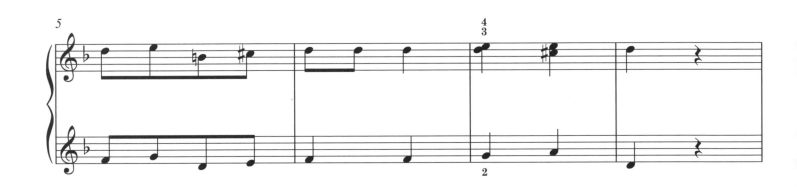

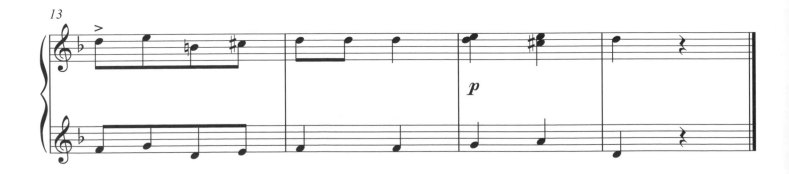

Walzer
Waltz / Valse
op. 179/17

Cornelius Gurlitt
(1820–1901)

Moderato ♩. = 60

grazioso

ritenuto

a tempo

decresc.   *per - den - dosi*   **pp**

Gavotte

op. 210/9

Cornelius Gurlitt
(1820–1901)

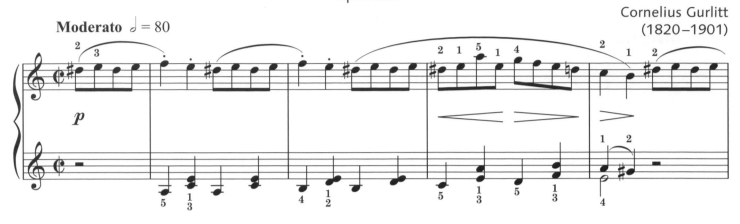

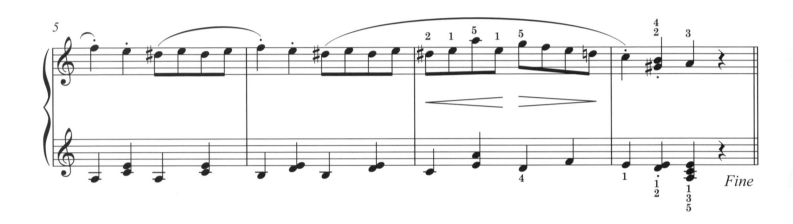

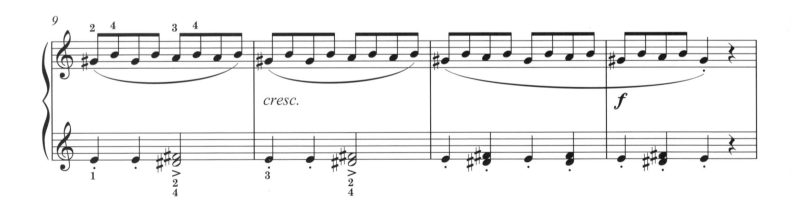

D.C. al Fine

Zwei ungarische Melodien
Two Hungarian Melodies / Deux mélodies hongroises

Istvàn Bartalus
(1821–1899)

70

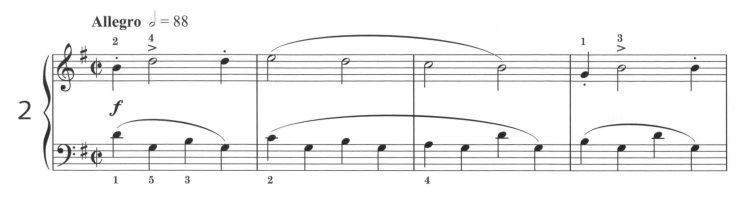

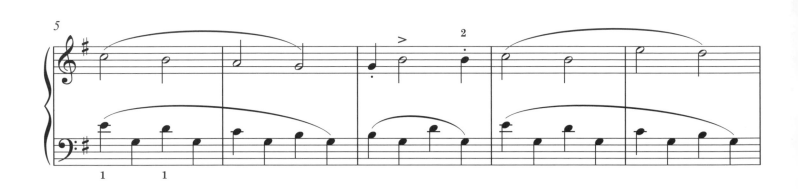

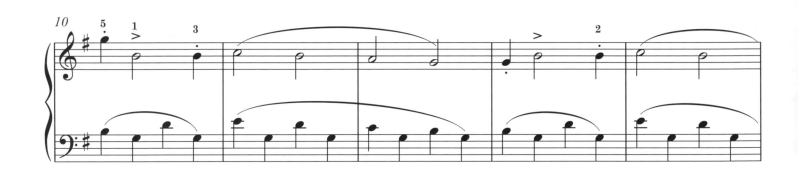

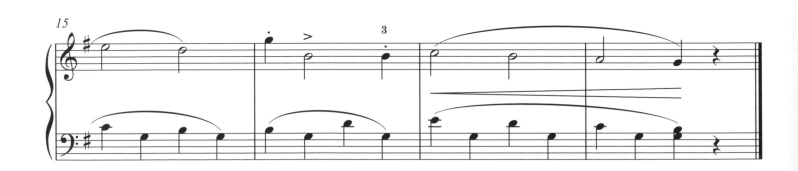

Klavierstück Nr. 13
Piano Pieces No. 13 / Piano Pièce No. 13

Heinrich Henkel
(1822–1899)

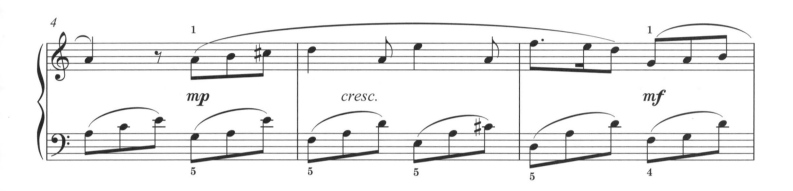

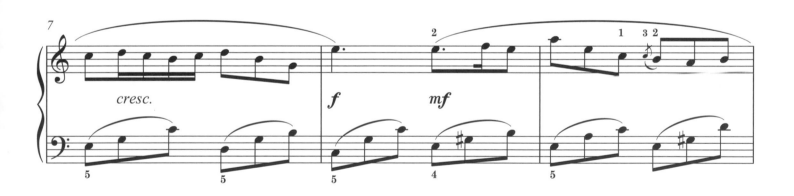

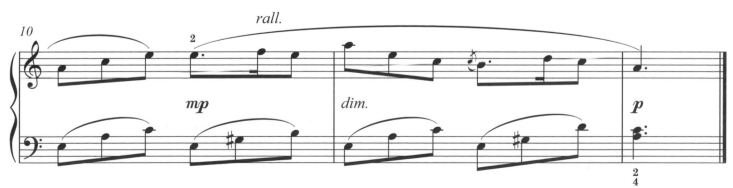

aus / from / de: 30 Klavierstücke für die Jugend / 30 Piano Pieces for the Young / 30 Piano Pièces pour la jeunesse

Scherzino
Sonatine / Sonatina
3. Satz / 3rd movement / 3e movement
op. 136/1

Carl Reinecke
(1824–1910)

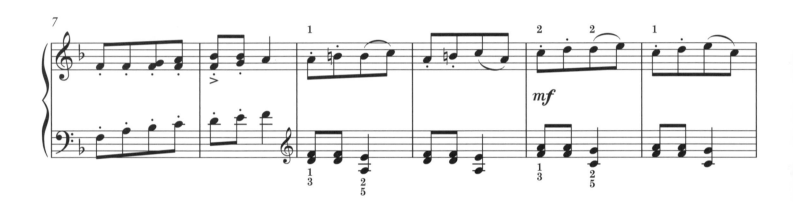

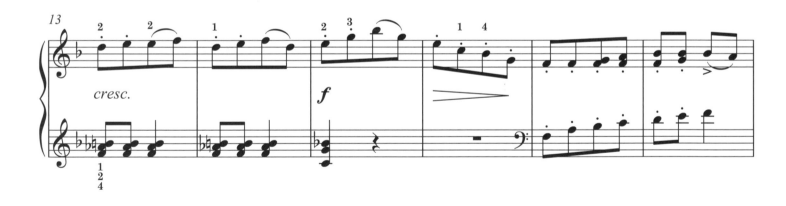

Elegie / Elegy / Élégie
Serenade / Sérénade
2. Satz / 2nd movement / 2e mouvement
op. 183/2

Carl Reinecke
(1824–1910)

Kuckuck
Cuckoo / Coucou
op. 46/21

Emil Breslaur
(1836–1899)

Allegretto ♩ = 132

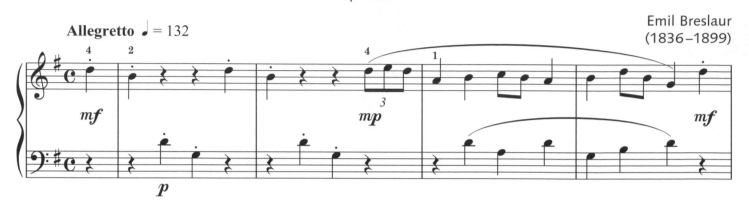

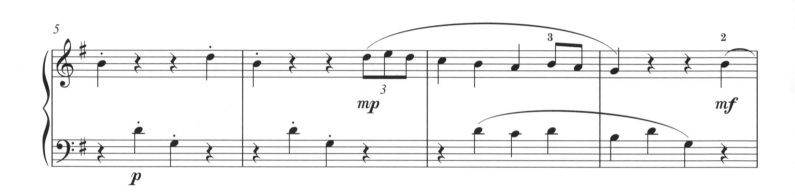

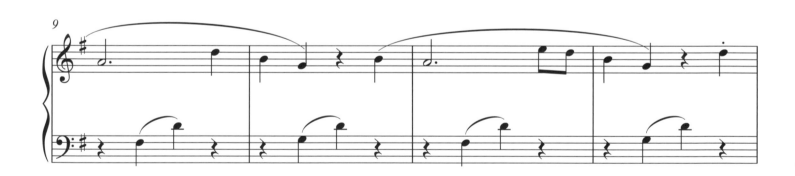

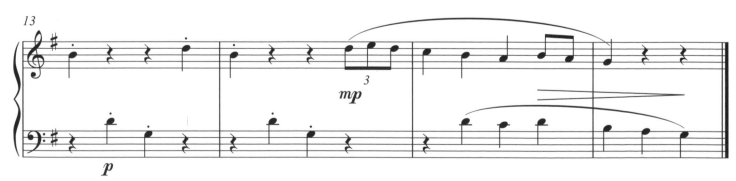

aus / from / de: Die leichtesten Klavierstücke / The easiest Piano Pieces / Les plus faciles des pièces pour piano op. 46

Walzer
Waltz / Valse
op. 46/25

Emil Breslaur
(1836–1899)

Tempo di Valse ♩. = 56

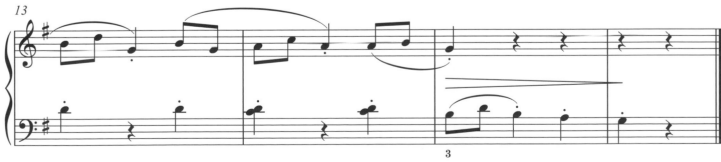

aus / from / de: Die leichtesten Klavierstücke / The easiest Piano Pieces / Les plus faciles des pièces pour piano op. 46

Sonatine C-Dur
Sonatina C major / Sonatine Do majeur
1. Satz / 1st movement / 1er mouvement
op. 30/4

Oscar Bolck
(1839–1888)

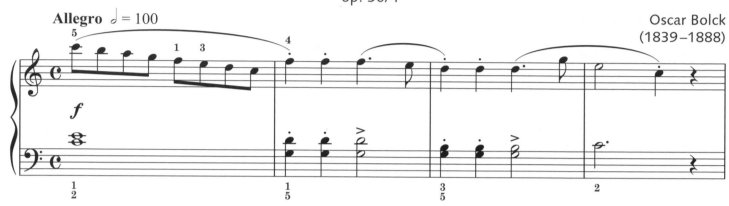

Tarantella
Tarantelle

Frederick Scotson Clark
(1840–1883)

Mutiger Ritter
Brave Knight / Brave chevalier

Moritz Wilhelm Vogel
(1846–1922)

Walzer
Waltz / Valse

Moritz Wilhelm Vogel
(1846–1922)

Stolzer Reitersmann
Proud Horseman / Fier Cavalier
op. 47/2

Robert Fuchs
(1847–1927)

aus / from / de: Jugendalbum / Album for the Young / Album à la jeunesse

Banges Herzelein
Sad at Heart / Le coeur triste
op. 47/5

Robert Fuchs
(1847–1927)

aus / from / de: Jugendalbum / Album for the Young / Album à la jeunesse

Auf Zehenspitzen
On Tip-Toe / Sur la pointe des pieds
op. 783/8

Arnoldo Sartorio
(1853–1936)

Moderato con moto ♩ = 138

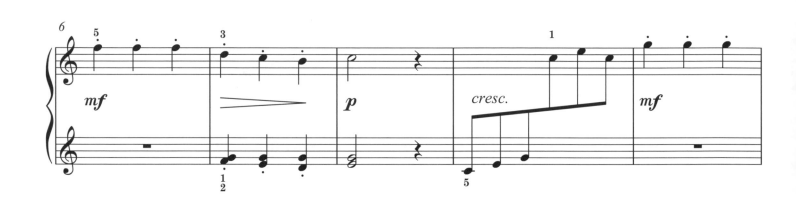

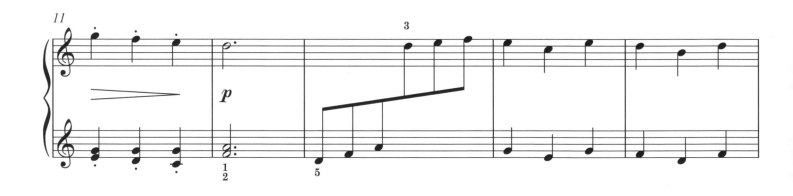

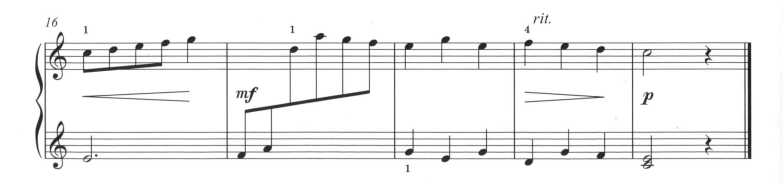

Abschied
Farewell / Adieux
op. 98/4

Alexander Gretchaninoff
(1864–1956)

aus / from / de: Das Kinderbuch / Children's Book / Livre d'enfants

Elefanten-Tanz
Elephant's Dance / Danse de l'éléphant

Alexander Gretchaninoff
(1864–1956)

aus / from / de: A. Gretchaninoff, Tautropfen op. 127 a, Schott ED 2176

Ce que dit la petite Princesse des Tulipes

Was die kleine Prinzessin Tulip sagt / What the little Princess Tulip says

Erik Satie
(1866–1925)

aus / from / de: Menus propos enfantins, No. 2

Berceuse
Wiegenlied / Lullaby

Erik Satie
(1866–1925)

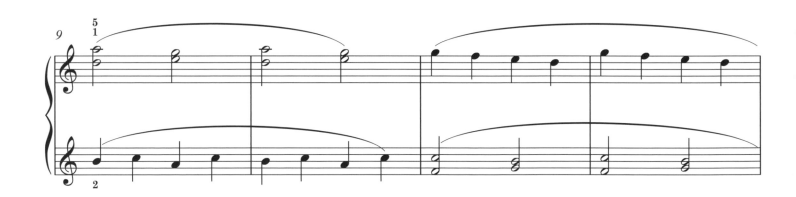

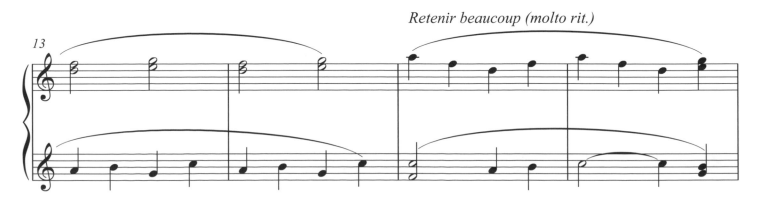

aus / from / de: Enfantillages pittoresques, No. 2

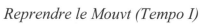

Reprendre le Mouvt (Tempo I)

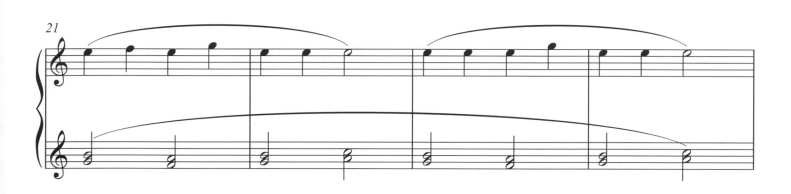

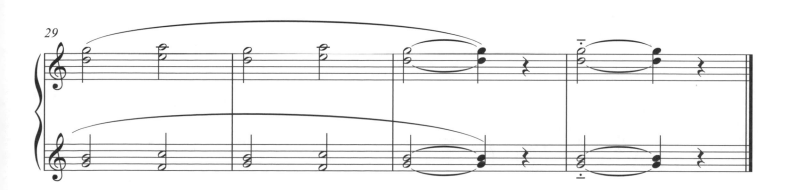

Profiter de ce qu'il a des cors aux pieds pour lui prendre son cerceau

Taking advantage of someone else's corns to steal his hoop

Erik Satie
(1866–1925)

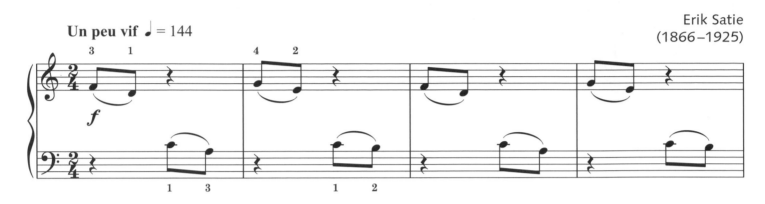

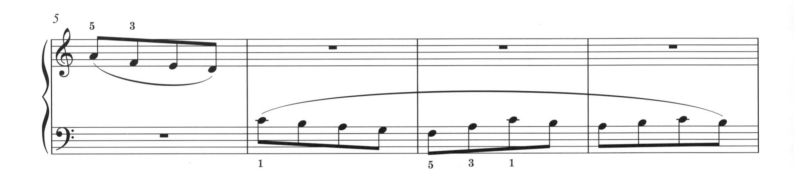

aus / from / de: Peccadilles importunes, No. 3

Teddy-Bär hat Kopfweh
Teddy-bear's Headache / Teddy a un mal de tête

Cyril Scott
(1879–1970)

aus / from / de: Die Spielkiste / The Toy Box / Le coffre à jouets, Schott ED 2334

Andantino

Igor Strawinsky
(1882–1971)

Fine

D.C. al Fine

aus / from / de: Les Cinq Doigts, 8 mélodies très faciles sur 5 notes, No. 1

Der Schokoladen-Automat

The Chocolat Automat / L'automate de chocolat

Georges Frank Humbert
(1892-1958)

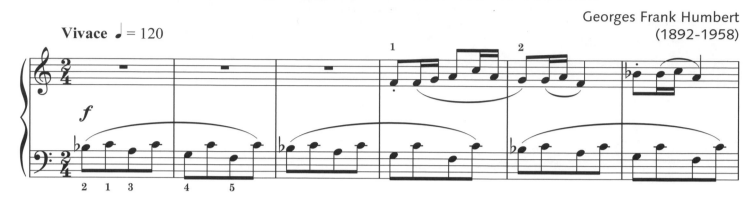

aus / from / de: G. F. Humbert, Allerlei Spielzeug, 15 Fünffinger-Stücke für Klavier, Schott ED 2605

Tarantella
Tarantelle

Georges Frank Humbert
(1892-1958)

aus / from / de: G. F. Humbert, Zauberstunden / Heures magiques, Schott ED 2379

Die Spieldose

The Music Box / La boîte à musique

Georges Frank Humbert
(1892-1958)

Moderato ♪ = 132

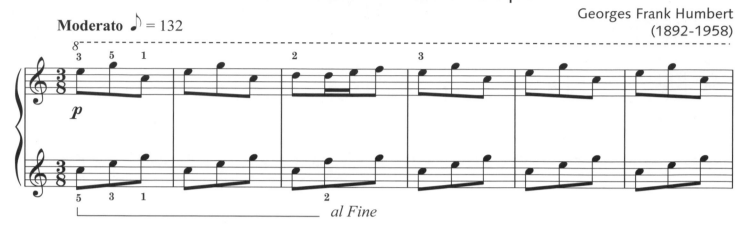

al Fine

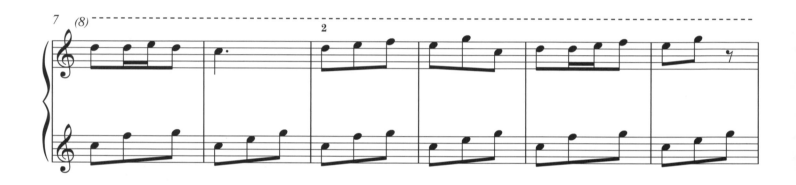

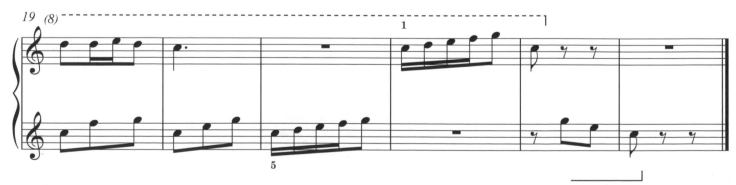

aus / from / de: G. F. Humbert, Allerlei Spielzeug, 15 Fünffinger-Stücke für Klavier, Schott ED 2605

Trauriges Lied
Sad Song / Chanson triste

Georges Frank Humbert
(1892–1958)

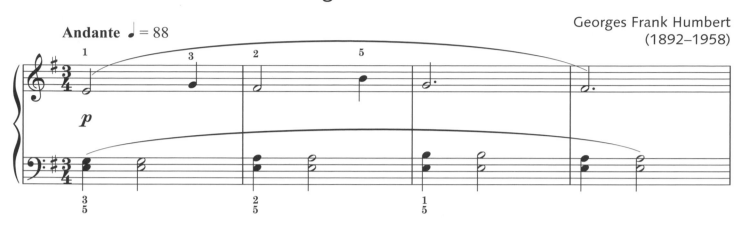

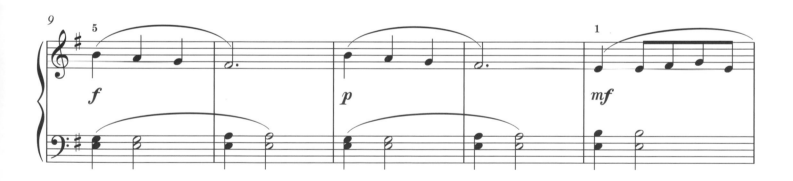

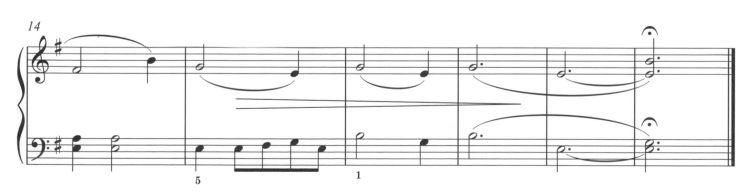

aus / from / de: G. F. Humbert, Zauberstunden / Heures magiques, Schott ED 2379

Walzer
Waltz / Valse

Georges Frank Humbert
(1892–1958)

aus / from / de: G. F. Humbert, Zauberstunden / Heures magiques, Schott ED 2379

Lied / Song / Chanson

Wir bauen eine neue Stadt /
We build a New City /
Nous construisons une nouvelle ville

Paul Hindemith
(1895–1963)

aus / from / de: P. Hindemith, Wir bauen eine Stadt, Schott ED 2200

Zwei Stücke aus der „Klavierübung"
Two Pieces from the "Piano Exercises" / Deux pièces du "Piano Exercices"

Carl Orff
(1895–1982)

aus / from / de: Orff Klavierbuch / Orff Piano Book, Schott ED 8264

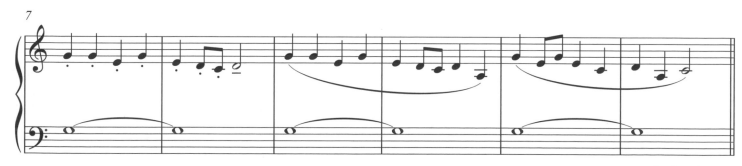

D.C. al Fine

Tanz
Dance / Danse
op. 39/9

Dmitri Kabalewsky
(1904–1987)

aus / from / de: Klavieralbum für die Jugend / Piano Album for the Young / Album pour piano à la jeunesse

© Mit freundlicher Genehmigung MUSIKVERLAG HANS SIKORSKI GMBH & CO. KG, Hamburg

Walzer
Waltz / Valse
op. 39/13

Dmitri Kabalewsky
(1904–1987)

aus / from / de: Klavieralbum für die Jugend / Piano Album for the Young / Album pour piano à la jeunesse

© Mit freundlicher Genehmigung MUSIKVERLAG HANS SIKORSKI GMBH & CO. KG, Hamburg

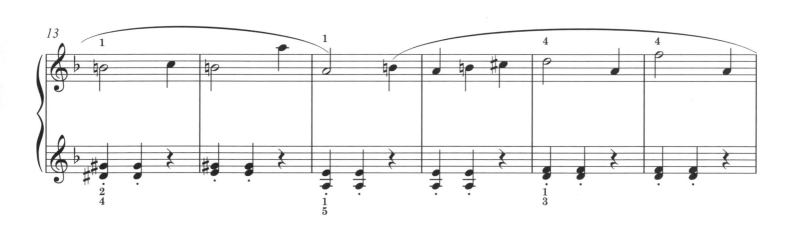

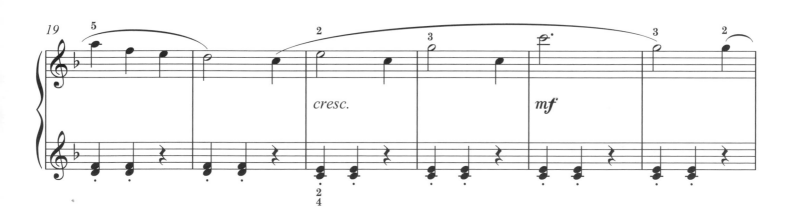

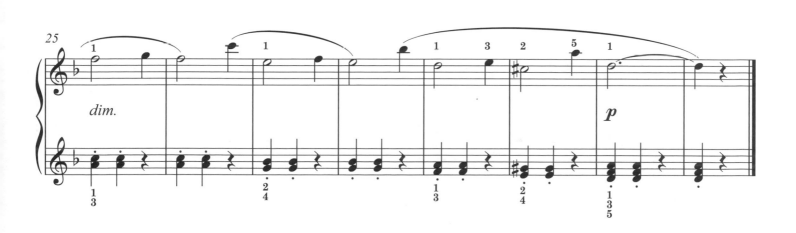

Marsch
March / Marche
op. 69/1

Dmitri Schostakowitsch
(1906–1975)

Alla marcia ♩ = 100

aus / from / de: Kinderalbum für Klavier / Children's Notebook for Piano

Walzer
Waltz / Valse
op. 69/2

Dmitri Schostakowitsch
(1906–1975)

aus / from / de: Kinderalbum für Klavier / Children's Notebook for Piano

Sarabande

Henk Badings
(1907–1987)

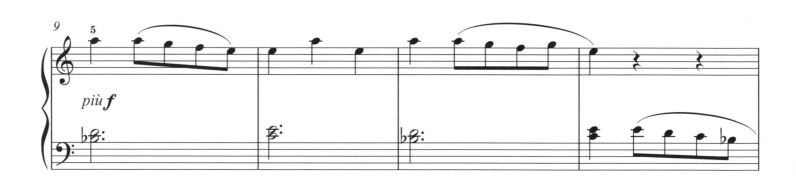

aus / from / de: H. Badings, Arcadia, Vol. 3, 10 kleine Stücke ohne Daumen-Untersatz, Schott ED 4178

Bauerntanz
Country Dance / Danse rustique

Henk Badings
(1907–1987)

Allegro ♩ = 160

aus / from / de: H. Badings, Arcadia, Vol. 2, 10 Fünftonstücke auf 10 weißen Tasten, Schott ED 4177

Kleiner Walzer
Little Waltz / Petite Valse

Gunter Kretschmer
(1935–2012)

Kleines Menuett
Little Minuet / Petit Menuet

Gunter Kretschmer
(1935–2012)

aus / from / de: G. Kretschmer, Auf dem Spielplatz / In the Playground, Schott ED 20648

Kleines Präludium
Little Prelude / Petit Prélude

Gunter Kretschmer
(1935–2012)

Ruhig fließend / Calmly flowing ♩ = 66

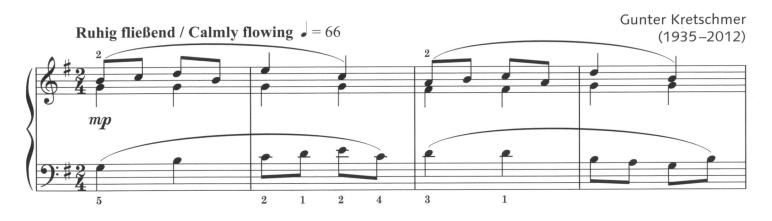

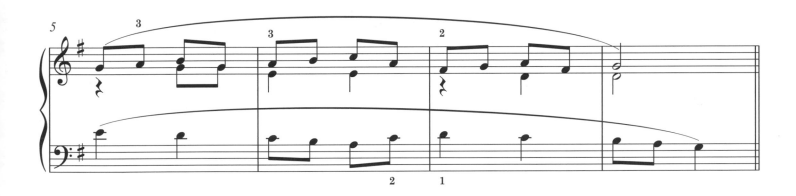

aus / from / de: G. Kretschmer, Auf dem Spielplatz / In the Playground, Schott ED 20648

Die Melodie in der Kiste
The Melody in the Box / La mélodie dans la boîte

Barbara Heller
(*1936)

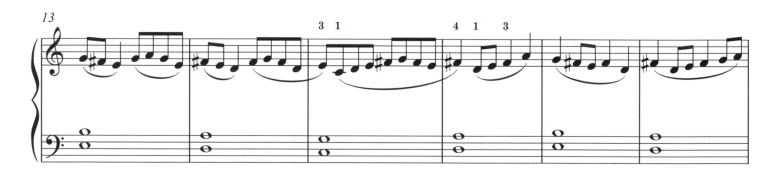

aus / from / de: B. Heller, Klangspuren / Sound Traces, Schott ED 21577

Wellen
Waves / Vagues

aus / from / de: B. Heller, Klangspuren / Sound Traces, Schott ED 21577

Präludium C-Dur
Prelude C major / Prélude Do majeur

Hans-Günter Heumann
(*1955)

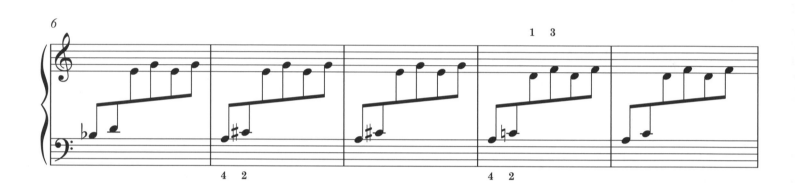

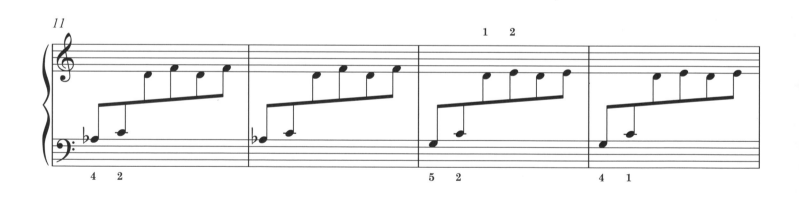

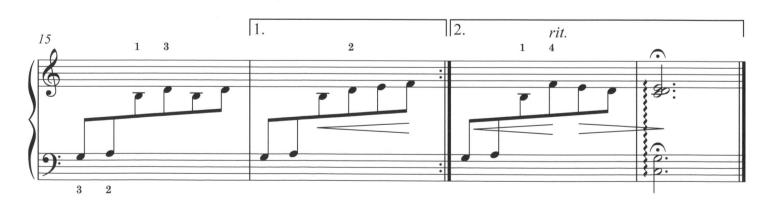

Mazurka d-Moll
Mazurka D minor / Mazurka Ré mineur

Hans-Günter Heumann
(*1955)

Menuett G-Dur
Minuet G major / Menuet Sol majeur

Hans-Günter Heumann
(*1955)